Wichtiger Hinweis: Die Methoden und Anregungen in diesem Buch stellen die Meinung und Erfahrung der Autoren dar. Sie wurden nach bestem Wissen erstellt und mit größtmöglicher Sorgfalt geprüft, bieten jedoch keinen Ersatz für kompetenten medizinischen Rat. Jeder Leser ist für das eigene Tun und Lassen auch weiterhin selbst verantwortlich. Weder Autoren noch Verlag können für eventuelle Nachteile oder Schäden, die aus den im Buch gegebenen praktischen Ratschlägen resultieren, eine Haftung übernehmen.

Um die Privatsphäre der Klienten, die in diesem Buch erwähnt werden, nicht zu verletzen, wurden deren Namen geändert.

Gabriele Raubart, Andreas Seebeck

Den Zwang abstellen – schnell und effektiv mit Klopfakupressur und Qigong

www.lotus-press.com

ISBN 978-3-935367-81-3

*Für all diejenigen,
die schon so lange kämpfen.
Mögen sie den Mut haben,
die hier vorgestellten Techniken
auszuprobieren.
Und ihr Leben zurückgewinnen!*

Für Fragen, Erfahrungen und Anregungen unserer Leser sind wir dankbar. Schreiben Sie an:

Andreas Seebeck
Psychotherapeutischer Heilpraktiker
MET-Therapeut
Zerhusener Str. 31a
49393 Lohne
Tel. 04442 921155
a.seebeck@febe.de

Einzelunterricht, Seminare, Behandlung, Vorträge

Den Zwang abstellen

schnell und effektiv mit Klopfakupressur und Qigong

Gabriele Raubart und Andreas Seebeck

Man kann Dir den Weg weisen,
aber gehen musst du ihn selbst.
Bruce Lee

Inhaltsverzeichnis

Zwei bis drei Prozent aller Menschen sind im Laufe ihres Lebens von einer Zwangserkrankung betroffen. Sie ist die vierthäufigste psychische Erkrankung und gehört zu den zehn Erkrankungen, die die Lebensqualität am meisten beeinträchtigen.

GELEITWORT VON DR. RER. NAT. CH. WÖLK

Zwangsgedanken und Zwangshandlungen verschwinden nicht von selbst. Der Betroffene muss aktiv den ungebetenen „Untermieter“ aus seinem (Er)Leben hinausbefördern. Die zurzeit am häufigsten praktizierten Therapien verlangen dem Patienten allerdings viel ab. Er wird ständig mit seinem Zwang konfrontiert und muss sich ihm widersetzen. Das führt zwar auf Dauer zu einer Reduktion des Zwanges, ist aber ein harter und langwieriger Prozess.

Mit der vor allem in den USA entwickelten Klopfakupressur ist nun eine vollkommen neuartige Herangehensweise an psychische Probleme und Störungen entstanden. Die Methode greift auf die Erfahrungen der Traditionellen Chinesischen Medizin (TCM) zurück:

Wenn wir dafür sorgen, dass unsere Energie frei und ungehindert in unserem Körper fließen kann, geht es uns gut - auch psychisch! Vom Zwang Betroffenen fällt es nach dem Klopfen viel leichter, die Dinge so zu tun, wie es ihnen ihr gesunder Menschenverstand empfiehlt.

Sie können wieder Normalität in ihren Alltag bringen und dadurch die Freiheit und Leichtigkeit in ihr Leben zurückholen, die sie oft schon vor langer Zeit an den Zwang verloren hatten.

Als ich selbst begann, die Klopfakupressur in meine therapeutische Arbeit zu integrieren, war ich mehr als überrascht, um wie viel einfacher alles dadurch für die Patienten und auch für mich wurde - selbst bei hartnäckigsten Ängsten, Depressionen und Zwängen. Häufig führen schon wenige Anwendungen zum Erfolg, weshalb diese Behandlungsmethode aus meiner therapeutischen Arbeit inzwischen nicht mehr wegzudenken ist. Besonders fasziniert mich, dass die Methode schon nach einer kurzen Anleitung vom Patienten in eigener Regie angewendet werden kann.

Neben der Klopfakupressur wird in diesem Buch Qigong als eine weitere aus dem Gesundheitsverständnis der traditionellen chinesischen Medizin entstandene Behandlungsmethode vermittelt.

Mit Hilfe dieser Entspannungstechnik halten Ruhe und Gelassenheit wieder Einzug in das Leben des zuvor im Zwang Gefangenen und verhelfen ihm dauerhaft zu psychophysischer Gesundheit.

Ich sehe in diesem Buch eine große Chance, die Therapie von Zwangsgedanken und Zwangshandlungen effektiver und effizienter zu gestalten.

Ich wünsche allen von Zwängen Betroffenen, dass sie sich ein Herz fassen und mithilfe der vorliegenden Anleitung die Chance ergreifen, sich auf den Weg heraus aus ihrer Zwangsstörung machen. Sie erhalten mit diesem Buch die Möglichkeit, selbst etwas dafür zu tun, wieder „Herr in Ihrem Haus" zu sein. Genießen Sie die Freiheit, die ein Leben ohne Zwangsgedanken und Zwangshandlungen Ihnen bietet!

Viel Erfolg!

Dr. rer. nat. Christoph Wölk

Psychologischer Psychotherapeut und Supervisor

Kann und darf es so einfach sein?

EINFÜHRUNG

Einige Fallbeispiele

Andreas Seebeck,
Psychotherapeutischer Heilpraktiker
und MET-Therapeut

Der Zwang wird auch als die „Krankheit des Zweifelns“ bezeichnet.

Fall 1: Kontrollzwang

Mir gegenüber sitzt Herbert, langjähriger Zwangspatient. Er sitzt wie auf Kohlen, sagt er, denn am liebsten würde er noch mal nachschauen, ob er sein Auto vor der Praxis auch wirklich abgeschlossen hat. Er ist zum ersten Mal bei mir, und will es mal mit der Klopfakupressur versuchen, mit der ich so viele Erfolge bei Phobien habe. Warum nicht auch bei Zwängen? Einen Versuch ist es Wert. Obwohl Herbert sich absolut nicht vorstellen kann, wie „so ein bisschen Klopfen“ bei so etwas Hartnäckigem wie seinem Kontrollzwang helfen soll.

Nach fünf Minuten Klopfakupressur steht Herbert völlig verblüfft vor mir: Der Druck ist einfach weg. Wir unterhalten uns noch eine gemütliche Stunde, ohne dass sich der Zwang auch nur ansatzweise wieder meldet.

Zwänge werden dann zur Krankheit, wenn sie den Großteil des Tages für sich beanspruchen.

Fall 2: Putzzwang

Margarethe verbringt die meiste Zeit des Tages damit, das Haus peinlichst sauber zu halten. Dahinter steht die Angst, ein Familienmitglied könnte sich mit einer Krankheit infizieren, woran sie dann wegen der Vernachlässigung ihrer Pflichten Schuld wäre. Außer der Familie darf niemand das Haus betreten, denn die Keime, die dabei eingeschleppt würden, könnten nur durch tagelange Putzaktionen beseitigt werden.

Allein die Vorstellung, gerade jetzt würde eine unbekannte Person ihr Haus betreten, lässt ihre Knie weich werden.

Nach dem Beklopfen all der Ängste, die in Beziehung zu ihrem Putzzwang stehen (z.B. dass jemand durch ihre Nachlässigkeit erkranken könnte), kann sie sich die gleiche Situation ohne aufkommende Panik und weiche Knie vorstellen.

Gedankenzwänge sind mit den konventionellen Methoden am schwierigsten zu behandeln.

Fall 3: Zählzwang

Maria muss ständig zählen. Immer und überall hat sie diese Zahlen im Kopf. Fernsehen ist nicht möglich. Sich Entspannen ist nicht möglich. Denn es geht in einer Tour: 67, 43, 12, 44…

Ich erkläre und demonstriere ihr den Ablauf des Klopfens. Schon während der Sitzung spürt sie, dass sich etwas verändert. Mit einem vorsichtigen Anflug von Hoffnung verlässt sie die Praxis.

Beim nächsten Termin ist sie begeistert: Mindestens eine halbe Stunde hat sie Ruhe nach einer Klopfrunde. Endlich wieder Fernsehen, oder die Gedanken schweifen lassen können. Und je öfter sie den Zwang mit dem Klopfen zurückdrängt, umso schneller wird er ganz verschwinden, das weiß sie sicher.

Vier Wochen später bezeichnet sie sich als völlig zwangsfrei. Nach vier Jahren erfolgloser Therapie!

Ordnung

Schaut man nur lange genug auf ein beliebiges Wort, so schleicht sich das Gefühl ein, es sei falsch geschrieben.

Fall 4: Ordnungszwang

Ulrike erzählt mir in einem Kurs, dass sie endlich wieder zum Arbeiten kommt, seit sie ihren Ordnungszwang allmorgendlich beklopft. Ihre Anstellung war bereits in Gefahr, weil sie viel zu lange für ihre Schriftstücke brauchte. Dabei ging ihr das Erstellen schnell von der Hand. Nur das Kontrollieren vor der Abgabe konnte Stunden dauern. Die Vorstellung, etwas Fehlerhaftes abzugeben, war einfach zu schrecklich. Auch auf dem Schreibtisch musste alles peinlichst genau geordnet sein, damit sich das Gefühl einstellte, mit einer Arbeit fertig zu sein.

Ihr Zwang lässt sie nun den ganzen Tag in Ruhe.

Wie Sie nun diese Methode, mit der sich die Zwangserkrankungen so verblüffend effektiv ‚abschalten' lassen, bei sich selbst anwenden, darum geht es in diesem Buch.

TEIL 1: ZWÄNGE VERSTEHEN

Dem Zwang gehorchen
verleiht ihm seine Macht,
sich ihm widersetzen
macht frei.

Merksatz aus der ‚Gedankenmühle',
ein Programmteil von
‚Brainy, das Anti-Zwangstraining'
(siehe Literaturverzeichnis)

Zwänge von außen

Zwänge sind definiert durch einen inneren Drang, bestimmte Dinge zu tun oder zu denken, obwohl man sich ihrer Übertriebenheit und Sinnlosigkeit bewusst ist. Beim Versuch, sich den Zwängen zu widersetzen, tritt starke innere Spannung auf.

Zwangsstörungen gelten als eine der häufigsten psychischen Erkrankungen, gleich nach Depressionen und Angsterkrankungen. Sie beginnen meist in der Pubertät oder im jungen Erwachsenenalter, betreffen oft Alleinstehende und gehen häufig mit Depressionen einher. Mit Zwängen ist nicht zu spaßen: Sie haben die Tendenz, chronisch zu werden und sich auf immer neue Lebensbereiche auszuweiten. Sie vereinnahmen einen Großteil des Tages und können so zu sozialem Rückzug und Vereinsamung führen.

Man unterscheidet Zwangsgedanken und Zwangshandlungen. Am häufigsten sind Wasch- und Kontrollzwänge.

Es nützt gar nichts, die Wünsche des Zwangs erfüllen zu wollen, denn sie werden immer etwas größer sein.

Merksatz aus der ‚Gedankenmühle'

Erklärungsmodelle zur Entstehung einer Zwangsstörung

Lerntheoretisch: Vermindert eine Handlung einen akuten Angstzustand, so wird diese Handlung als Lösungsmethode „verstärkt“ und tritt deshalb in Zukunft immer häufiger auf.

Kognitiv: Gedanklich neigen Menschen, die unter Zwangsgedanken und Zwangshandlungen leiden, oft zu übertriebenem Verantwortlichkeitsempfinden, Schuldgefühlen, Unsicherheit, Zweifeln, Pessimismus.

Neurobiologisch: Es konnten mit bildgebenden Verfahren Veränderungen in den Basalganglien des Gehirns, dem limbisches System und den Frontalhirnlappen sowie im Serotoninhaushalt bei Zwangserkrankten nachgewiesen werden. Auch scheint der genetische Faktor eine Rolle zu spielen. Damit eine Zwangshandlung entsteht, bedarf es jedoch zusätzlich noch einer länger anhaltenden psychoemotionalen Überbeanspruchung.

Ich bin stark genug,
die Spannung auszuhalten,
die entsteht, wenn ich dem Zwang
widerstehe.

Merksatz aus der ‚Gedankenmühle'.

„Die Hilfe, die die Klopfakupressur bei mir geleistet hat, ist kaum zu beschreiben – man muss es erlebt haben"

Psychodynamisch – Hier geht man von einem strengen Über-Ich mit Angst vor unangepasstem seelischen Verhalten aus, mit einem Ursprung in der analen Phase (2.-3. Lebensjahr).

Die Verhaltenstherapie hat sich bei der Behandlung von Zwangsstörungen bewährt, hauptsächlich das Expositionstraining und die kognitive Therapie. Die Wirkung dieser therapeutischen Interventionen breitet sich jedoch leider nicht automatisch auf alle Lebensbereiche aus. Dies gibt dem Zwang die Möglichkeit, sich immer wieder in das Leben des Erkrankten einzuschleichen.

Beim Expositionstraining geht es darum, sich gezielt dem Zwang zu widersetzen und den Druck so lange auszuhalten, bis er von selbst wieder abnimmt – ohne die Zwangshandlung ausgeführt zu haben. Stetig wiederholt lässt der emotionale Druck immer mehr nach. Das Training hat nur einen Haken: Es bringt den Betroffenen immer wieder an die Grenzen der Belastungsfähigkeit – genau hier kann die Klopfakupressur Unglaubliches leisten!

Wie oft haben Sie es schon erlebt: Der Zwang droht Ihnen mit Konsequenzen, die dann doch nicht eintreten.

Merksatz aus der ‚Gedankenmühle'.

Zwänge von innen – die Gefühlswelt des Zwangs

Gabriele Raubart

Man unterscheidet Zwangshandlungen und Zwangsgedanken. Zwangshandlungen sind solche Handlungen, die ich dauernd wiederholen muss, weil ich das Gefühl habe, dass ohne diese Wiederholung etwas Schreckliches passieren könnte. Dieses wiederholte Handeln dient der Kontrolle. Indem ich etwas dauernd prüfe, mir dauernd die Hände wasche oder ständig etwas ordne, möchte ich ein Gefühl von Sicherheit erlangen.

Ich fühle mich verunsichert, ja, geradezu panisch ängstlich, wenn ich diese Handlungen nicht ausführe.

Ein diffuses Gefühl sagt mir, dass nur das dauernde Wiederholen bestimmter Handlungen eine Katastrophe verhindern kann.

Gedanken können zur Qual werden, wenn man versucht, sie ***nicht*** *zu denken, denn damit erreicht man gerade das Gegenteil.*

Ich höre mit der Handlung erst dann auf, wenn sich in mir ein Gefühl von Sicherheit einstellt. Das kann lange dauern, denn dieses Gefühl ist nur sehr schwer zu erreichen und mit der Zeit dauert es in den zwangskritischen Situationen immer länger, innerlich wieder zur Ruhe zu kommen. Zwangsgedanken sind Gedanken, die sich mir aufdrängen, obwohl ich sie nicht denken möchte. Es sind außerdem Gedanken, die ich nicht denken möchte, weil mir ihr Inhalt nicht gefällt, oder ich sie sogar abstoßend und (für mich) inakzeptabel finde. Doch je mehr ich mich anstrenge, diese bestimmten Gedanken nicht zu denken, desto mehr denke ich sie. Es ist, als hätte ich eine Spirale im Kopf, durch die diese Gedanken ständig laufen, um mich dauernd wieder zu quälen.

Durch diese unwillkommenen Gedanken fühle ich mich sehr unwohl und habe große Angst. Denn ich glaube, dass das, was ich denke, sicherlich auch wahr werden könnte, oder bereits wahr geworden ist.

Deshalb bin ich sehr darum bemüht, diese Angst zu reduzieren, indem ich die Gedanken nicht mehr denke. Doch ich kann mich nicht wehren.

Der Zwang macht krank, weil er mich dazu bringt, Handlungen und Gedanken absolut überzubewerten.

Nehmen wir an, dass das Gehirn für jede alltägliche Handlung einen kleinen Fluss im Gehirn angelegt hat. Vollführen Sie eine Handlung, z. B. das Braten von Spiegeleiern, so wird jede Handlung, die dazu nötig ist, mehr oder weniger automatisch ausgeführt. Sie denken über die einzelnen Handlungsschritte nicht nach.

Am Ende haben Sie Spiegeleier gebraten, schalten den Herd aus, setzen sich mit Ihrer Mahlzeit an den Tisch und genießen sie.

Bei der Zwangserkrankung nehmen einige Handlungen einen anormal hohen Stellenwert ein. Das Betätigen des Herdschalters verursacht eine erste fühlbare Anspannung. Doch noch können Sie Ihrem Vorhaben nachgehen und führen die einzelnen Schritte durch, um die gewünschten Spiegeleier zu braten.

Nachdem Sie die Herdplatte ausgeschaltet haben, zögern Sie. Sie schaffen es nicht, sich hinzusetzen und Ihre Mahlzeit zu genießen. Ein starkes Gefühl von Unsicherheit in der Magengegend zwingt Sie, sich nochmals an den Herd zu stellen und immer wieder ganz genau hinzusehen, ob der Schalter auch wirklich ausgeschaltet ist.

Energetisch gesehen sind Zwänge Stauungen im Energiefluss des Körpers.

Nehmen wir noch einmal das Bild des Flüsschens, welches wir eben verwendeten, um uns vorzustellen, wie einzelne Handlungen im Gehirn gespeichert sind. Normalerweise fließt das Wasser schnurgerade durch das Flussbett und wird nirgendwo gestaut.

Bei einer Handlung, die überbewertet wird und darum zwanghaft ist, kommt es an einer bestimmten Stelle im Flussbett zum Stau. Das Wasser kann nicht wie gewohnt fließen, sondern wird durch Geröll oder Steine aufgehalten.

An diesem Punkt führen Sie die Zwangshandlungen aus. Sie haben das Gefühl, etwas dauernd kontrollieren zu müssen. Es treibt Sie die Hoffnung, dass sich auf diese Weise irgendwann, wenn es Ihnen endlich gelingt, die Kontrollhandlung nur perfekt genug auszuführen, ein Gefühl von innerer Gelassenheit einstellen wird.

Gewohnheiten sind zuerst
Spinnweben, dann Drähte.
spanisches Sprichwort

Eine trügerische Hoffnung!

Die Erfahrung zeigt, dass beim Vorliegen einer Zwangsstörung die Kontrolle der Kontrolle fast immer den Einstieg in eine Endlosschleife bedeutet, die erst durch einen massiven Erschöpfungszustand wieder beendet werden kann.

Wieso können Sie nicht aufhören zu kontrollieren?

Es ist Ihr Gefühl von Unsicherheit beim Betrachten des Herdschalters, welches Sie auf unerklärliche Weise befällt. Dieses Gefühl zwingt Sie dazu, wieder und wieder zu kontrollieren.

Einen Gedanken nicht denken zu wollen, macht ihn nur stärker – er staut sich in Ihnen auf.

Ebenso verhält es sich mit Zwangsgedanken.

Bestimmte Gedanken möchten Sie nicht denken. Sie verbieten sich diese Gedanken, und damit geht das Problem los! Jetzt ist der Gedanke erst recht nicht mehr aus Ihrem Kopf zu vertreiben.

Nehmen wir noch einmal das Bild des Flussbetts und das ruhig dahin fließende Wasser. Wird das Flussbett gestaut (Ihr Verbot, bestimmte Gedanken zu denken), schwillt das Wasser an dieser Stelle an. Es staut sich.

Wenn Sie sich aus Angst verbieten, bestimmte Gedanken zu denken, dann „stauen“ sich diese Gedanken in Ihnen. Sie drängen sich immer mehr auf. Manchmal geraten Sie in Panik, diese Gedanken womöglich gar nicht mehr loszuwerden, und das macht alles noch viel schlimmer.

„Gewissheit ist die
Grundlage, nach der
die menschlichen
Gefühle verlangen“
Honore de Balzac

Das eigentliche Problem bei Zwängen sind die Gefühle:

- Das unangenehme Gefühl, dass der Herd noch an ist und etwas Schlimmes passieren wird, lässt mich einen weiteren Kontrollgang machen.
- Das unangenehme Gefühl, immer noch schmutzig zu sein, lässt mich ein weiteres Mal die Hände waschen.
- Das unangenehme Gefühl, das mir meine Zwangsgedanken bereiten, lässt mich verzweifeln.

Genau hier liegt nun die Stärke von Klopfakupressur und Qigong:

Qigong lässt mich stärker in mir ruhen, mit der Klopfakupressur löse ich unangenehme Gefühle auf.

TEIL 2: ZWÄNGE BESIEGEN

Es gibt nichts Gutes, außer man tut es.
Erich Kästner

Klopfakupressur - Den Zwang schwächen

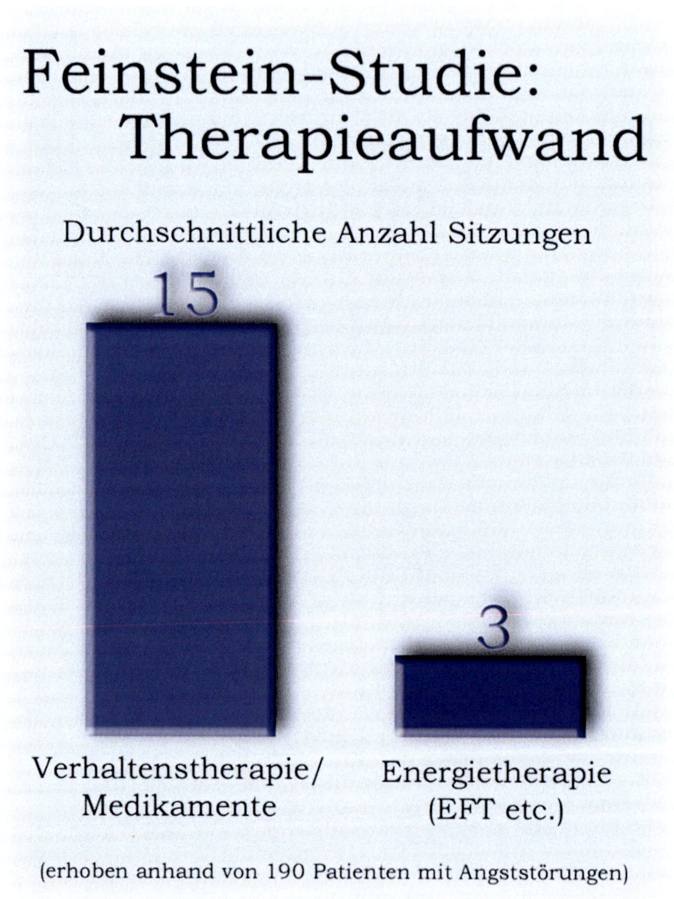

(Rother & Rother, 2007, Klopf-Akupressur S. 21)

Was ist Klopfakupressur?

Die Klopfakupressur ist ein neuer Zweig der energetischen Psychotherapie. Sie beruht auf den Erkenntnissen der jahrtausendealten asiatischen Heilkunst mit ihrer Akupunkturlehre, welche die Wechselwirkung zwischen unseren Emotionen und bestimmten Energiebahnen unseres Körpers beschreibt. In den 1980er Jahren entdeckte der Amerikaner Dr. Roger J. Callahan, dass sich allein durch das Beklopfen bestimmter Akupunkturpunkte unangenehme Emotionen verblüffend einfach und schnell auflösen lassen. Auf dieser Basis entwickelte z.B. Gary Craig die EFT (Emotional Freedom Techniques) und Rainer Franke MET (Meridian Energie Techniken).

Der Kern all dieser Techniken ist gleich: „Konzentriere dich auf ein Problem und klopfe dabei deine Akupunkturpunkte".

Warum diese Methode so effektiv ist, kann (noch) niemand mit Sicherheit sagen. Man nimmt aber an, dass negative Emotionen Unterbrechungen im Chi-Fluss des Körpers verursachen, die durch das Beklopfen aufgelöst werden.

Wie kann mir die Klopfakupressur helfen?

Die Klopfakupressur ist eine einfache und schnelle Methode, Ihr Gefühl von Unsicherheit oder Angst zu beheben. Sie können sich von Ihrer Zwangshandlung oder Ihrem Zwangsgedanken abwenden, weil Sie keine Angst oder Unsicherheit mehr verspüren, wenn Sie in eine Situation kommen, in der der Zwang sich normalerweise bemerkbar macht.

Sie werden sich wieder frei und ausgeglichen fühlen und können deshalb das Ausführen der Zwangshandlungen und –gedanken unterlassen.

Um beim Bild des Wassers zu bleiben: Das hinderliche Geröll wird weggespült, das Wasser kann wieder frei und ungezwungen seinem natürlichen Lauf folgen.

Falls es Ihnen möglich ist, schauen Sie sich die Videoanleitung zum Klopfen an – sie ist als DVD bei Amazon, aber auch kostenlos bei Youtube verfügbar.

Einmal erlebt, wie einfach und effektiv die Technik ist, lesen sich die folgenden Beschreibungen viel leichter!

Unser Gehirn hat eine bemerkenswerte Eigenschaft: Werden bestimmte Nervenbahnen im Gehirn immer wieder für die gleiche Handlung oder den gleichen Gedanken benutzt, so werden diese Bahnen verstärkt und ausgebaut. Daher laufen gewohnte Handlungen immer leichter, automatischer ab. Das hat den großen Vorteil, dass wir nicht bei jeder alltäglichen Handlung erneut überlegen müssen, wie wir sie ausführen sollen.

Dummerweise werden aber auch bei den Zwangshandlungen durch die stetigen Wiederholungen solche ‚Autobahnen' im Gehirn gebaut. Diese Bahnen sind physisch in Form von Synapsen vorhanden und können nur durch Nicht-Benutzung wieder abgebaut werden.

Im Klartext: Wir können uns durch das Klopfen von dem Druck befreien, die Zwangshandlung auszuführen. Vom Zwang befreit sind wir aber erst dann, wenn wir das wieder und wieder gemacht haben und so unsere Zwangsautobahn durch das Nicht-Benutzen wieder abgebaut haben.

Es wird immer gleich ein wenig anders,
wenn man es ausspricht.
Hermann Hesse

Die Anwendung

Jedes Mal, wenn Sie den Druck spüren, eine Zwangshandlung auszuführen, legen Sie zuerst eine Klopfrunde ein. Das dauert höchstens ein paar Minuten und tut nicht weh: Sie können dabei nichts verkehrt machen. Das Schlimmste, was Ihnen passieren kann, ist, dass sich nichts ändert. Der Effekt kann also nur positiv sein, bis hin zur völligen Auflösung des Drucks. Nehmen Sie diese Chance wahr und probieren Sie es einfach aus!

Eine Klopfrunde besteht aus folgenden Elementen:

- **Einstimmungssatz:** Um unser Unterbewusstsein dazu zu bringen, Veränderungen zuzulassen
- **Klopfen der Meridianpunkte bei gleichzeitigem Fokussieren auf das unangenehme Gefühl (Erinnerungssatz):** Um den Druck, die Angst, die Wut etc. aufzulösen
- **Handrückenfolge:** Übungen aus der Kinesiologie zur Verankerung
- **Nochmaliges Klopfen**

Der Einstimmungssatz:

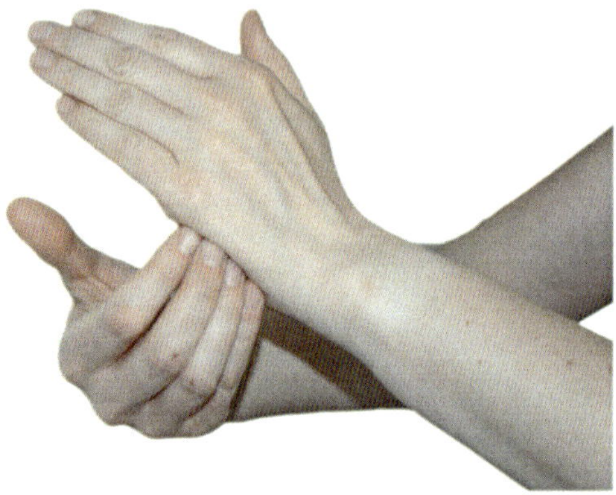

Während die Handkante beklopft wird

'Auch wenn ich dieses Problem habe, akzeptiere ich mich so wie ich bin'

Für 'Problem' wird eine möglichst genaue Beschreibung der gerade akuten Stresssymptomatik ersetzt. Der Satz wird drei Mal laut ausgesprochen.

Im Fallbeispiel Nr. 1 haben Sie von Herbert erfahren. Er hat einen Kontrollzwang. Während er im Sprechzimmer sitzt und auf den Arzt wartet, überkommt ihn eine unerträgliche Unruhe, weil er sich nicht sicher ist, sein Auto abgeschlossen zu haben.

Er entschließt sich, eine Klopfrunde zu machen:

Zuerst schätzt er seinen Stresspegel ein, um den Effekt des Klopfens besser einschätzen zu können. Seine Unruhe hätte auf einer Skala von 0 bis 10 mindestens den Wert 9.

Während er dann auf seine Handkante klopft, spricht er dreimal den Einstimmungssatz:

‚Auch wenn da diese Unruhe in mir ist, akzeptiere ich mich so wie ich bin'

Die Punkte beklopfen

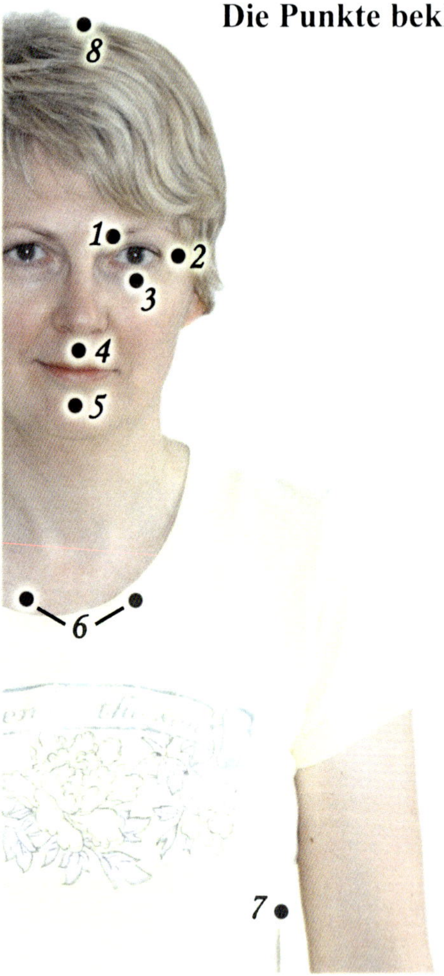

Dann beklopft er sanft der Reihe nach die folgenden Akupunkturpunkte:

1) Innen auf der Augenbraue

2) Im Augenwinkel

3) Unter dem Auge auf dem Jochbein

4) Unter der Nase

5) Zwischen Kinn und Unterlippe

6) Beide Schlüsselbeinpunkte

7) Unter dem Arm

8) Auf dem Kopf

Dabei wiederholt er bei jedem Punkt dreimal den Erinnerungssatz

„Diese Unruhe in mir"

und fühlt, ob sich mit seiner Unruhe etwas ändert.

Das Klopfen geschieht mit Zeige- und/oder Mittelfinger (etwa zwei- bis dreimal pro Sekunde). Es soll nicht wehtun, aber deutlich zu spüren sein. Die Meridianpunkte können links, rechts, oder beidseitig beklopft werden. Die Schlüsselbeinpunkte, welche sich zwischen dem Schlüsselbein und der obersten Rippe befinden, werden immer beidseitig beklopft. **Diese Punkte sind als ‚Angstpunkte' be-**

Die Handrückenserie:

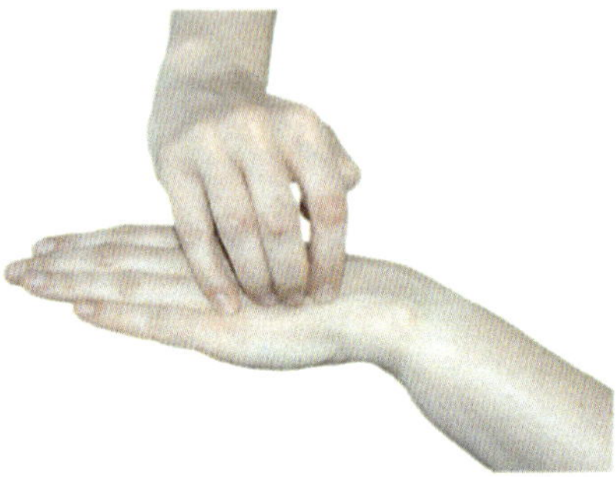

Während der Handrücken beklopft wird

- *mit geschlossenen Augen tief durchatmen*
- *ohne den Kopf zu bewegen scharf nach links unten blicken, dann rechts unten*
- *Augen zweimal im und zweimal gegen den Uhrzeigersinn kreisen lassen*
- *einige Takte einer Melodie summen*
- *schnell von 10 bis 0 rückwärts zählen*
- *noch einmal die Melodie summen*

sonders wichtig! Punkt 7 befindet sich eine Handbreit unter der Achselhöhle.

Dann kommt die Handrückenserie. Sie soll eine Stabilisierung der Linderung bewirken und macht den zweiten Klopfdurchgang effektiver.

Der Handrücken-Punkt liegt zwischen dem kleinen Finger und dem Ringfinger auf dem Handrücken zwischen den Sehnen.

Während er diesen Punkt beklopft, führt er einige kinesiologische Übungen durch, bei denen es um Atmung, Augenbewegungen und die abwechselnde Benutzung der rechten und linken Gehirnhälfte geht.

Danach klopft Herbert die Punkte noch einmal durch, genau wie beim ersten Mal.

Angst liegt nie in den Dingen selbst,
sondern darin, wie man sie betrachtet.
Anthony de Mello

Dieser ganze Ablauf hat etwa zweieinhalb Minuten gedauert. Der Unruhepegel ist von 9 auf 2 heruntergegangen. Den Kontrollgang kann er jetzt unterlassen.

Da aber immer noch etwas vom Zwang zu spüren ist, wiederholt er die Runde mit dem Erinnerungssatz

„Meine restliche Unruhe“.

Die Unruhe ist danach weg, aber es hat sich eine Traurigkeit wegen seines Zwanges spürbar gemacht. Herbert klopft auch dieses Gefühl:

„Ich bin so traurig, weil ich diesen Zwang habe“.

Die Traurigkeit verschwindet nach einer Klopfrunde völlig.

Wenn Herbert jetzt an sein Auto denkt, spürt er keinerlei negative Emotionen mehr. Er fühlt sich völlig entspannt.

"Auch wenn ich dieses Problem habe, akzeptiere ich mich so, wie ich bin"

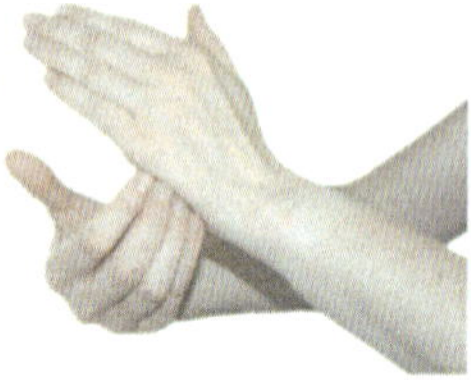

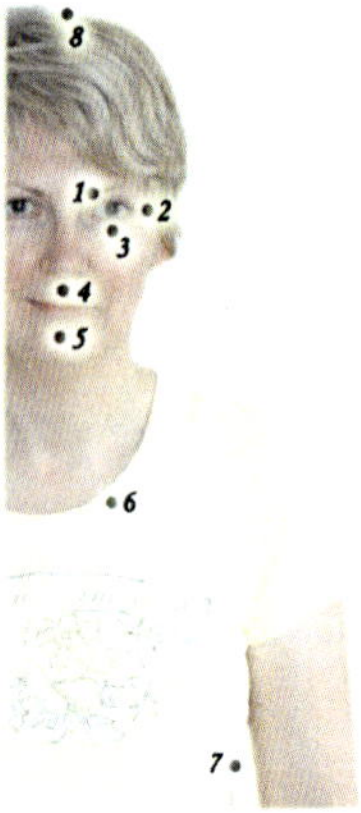

Mein Problem,
mein Problem,
mein Problem...

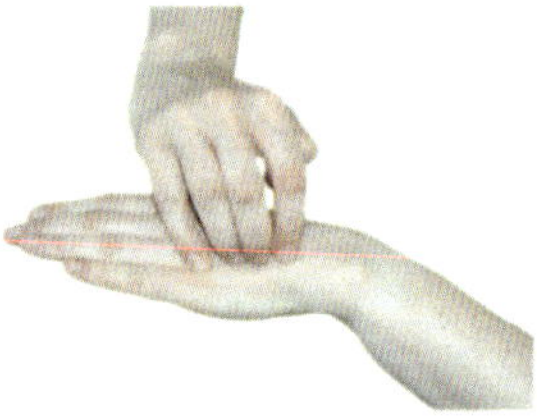

Handrückenserie

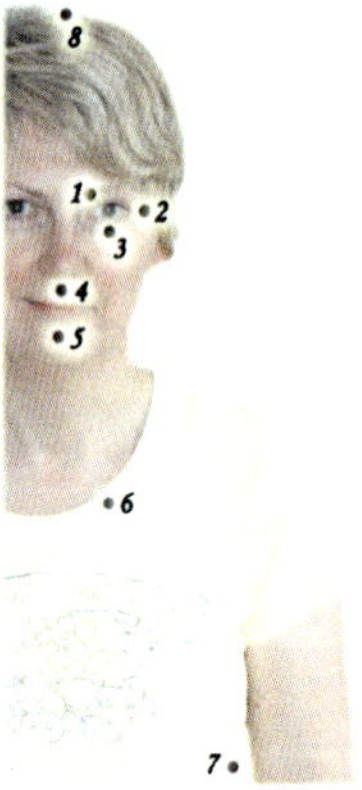

Mein Problem,
mein Problem,
mein Problem...

Nachspüren - hat sich etwas geändert?

Alle Schritte zusammen

1. Benennen Sie Ihr Problem. Wie hoch ist der Stresspegel des Problems?
2. Aussprechen des Einstimmungssatzes
3. Die 8 Meridianpunkte: Sie klopfen die jeweiligen Punkte und benennen dabei fortlaufend Ihr Problem (Erinnerungssatz).
4. Die Handrückenserie: Hiermit verankern und stabilisieren Sie nach dem Klopfen Ihren neuen Wohlfühlzustand.
5. Erneutes Klopfen der Punkte
6. Kontrolle: Was hat sich geändert? Fühlen Sie sich vollkommen befreit oder ist da noch ein Rest des Problems zu spüren? Vielleicht ist auch ein anderer Aspekt des Problems aufgetaucht? Dann weitermachen mit Punkt 1.

Was fühle ich

jetzt

in diesem Augenblick?

Zentrale Frage vor dem Klopfen

Klopfakupressur - Anwendungsbeispiele

"Auch wenn ich diesen Drang spüre, noch mal die Tür zu kontrollieren, akzeptiere ich mich so, wie ich bin"
"Mein Drang, die Tür zu kontrollieren"

Kontrollzwang

Einstimmungssätze:

- ***Auch wenn ich ein Gefühl von Unsicherheit in mir spüre, akzeptiere ich mich so, wie ich bin.***
- ***Auch wenn ich diesen Drang spüre, noch einmal die Herdschalter zu kontrollieren, akzeptiere ich mich so, wie ich bin.***
- ***Auch wenn ich Angst davor habe, dass jemand durch meine Unachtsamkeit zu Schaden kommt, akzeptiere ich mich so, wie ich bin.***

Erinnerungssätze:

- ***Dieses Gefühl der Unsicherheit in mir.***
- ***Mein Drang, die Herdschalter zu kontrollieren.***
- ***Ich bin schuld, wenn jemand zu Schaden kommt.***
- ***Meine Angst, dass etwas Schlimmes passiert.***
- ***Meine Angst, dass mir etwas gestohlen wird.***

"Auch wenn ich mich unrein fühle und das Bedürfnis habe, mich jetzt zu waschen, akzeptiere ich mich so, wie ich bin"
"Ich fühle mich unrein"

Waschzwang

Einstimmungssätze:

- ***Auch wenn ich mich so schmutzig fühle und den dringenden Wunsch habe, mich zu waschen, akzeptiere ich mich so, wie ich bin.***
- ***Auch wenn ich Angst habe, dass jemand krank werden könnte, weil ich etwas nicht sauber gehalten habe, akzeptiere ich mich so, wie ich bin.***

Erinnerungssätze:

- ***Ich fühle mich schmutzig.***
- ***Ich möchte mich jetzt waschen.***
- ***Dieses schreckliche Gefühl, dass ich schmutzig bin.***
- ***Meine Angst, jemand könnte krank werden, weil ich nicht sauber gemacht habe.***
- ***Meine Angst, jemanden zu kontaminieren.***
- ***Ich fühle mich so angeekelt.***
- ***Ich fühle mich so unrein.***

"Auch wenn ich Angst habe, dass etwas
Schlimmes passiert, wenn ich das nicht
in Ordnung halte, akzeptiere ich mich so,
wie ich bin"
"Dieses Gefühl von drohendem Unheil"

Ordnungszwang

Einstimmungssätze:

- ***Auch wenn ich das Gefühl habe, dass etwas Schlimmes passiert, wenn ich meine Ordnung nicht halte, akzeptiere ich mich so, wie ich bin.***
- ***Auch wenn ich Angst habe, dass man mich für unordentlich hält, akzeptiere ich mich so, wie ich bin.***

Erinnerungssätze:

- ***Wenn ich keine Ordnung halte, passiert etwas Furchtbares.***
- ***Wenn ich das unordentlich lasse, stirbt jemand.***
- ***Wenn ich das jetzt nicht aufräume, lade ich Schuld auf mich.***
- ***Dieses unerträgliche Gefühl, wenn ich die Unordnung da vor mir sehe.***
- ***Mein Drang, das jetzt in Ordnung zu bringen.***
- ***Alles muss perfekt sein.***
- ***Mein Drang, alles perfekt aussehen zu lassen.***

“Auch wenn ich dieses Gefühl von drohendem Unheil spüre, akzeptiere ich mich so, wie ich bin”

“Ich fühle mich nur sicher, wenn ich es sechs Mal mache”

Wiederholungszwang

Einstimmungssätze:

- ***Auch wenn ich dieses schlimme Gefühl habe, weil der Handlungsablauf gerade nicht ganz perfekt war, akzeptiere ich mich so, wie ich bin.***
- ***Auch wenn ich diese Handlung immer sechsmal machen muss, akzeptiere ich mich so, wie ich bin.***

Erinnerungssätze:

- ***Mein Drang, das noch einmal zu machen.***
- ***Ich möchte das lieber noch einmal machen.***
- ***Dieses Gefühl, dass ich das noch nicht richtig gemacht habe.***
- ***Dieses Gefühl, dass ich mich verzählt haben könnte.***
- ***Ich fühle mich nur sicher, wenn ich es genau sechsmal hintereinander mache.***
- ***Dieses Gefühl, dass etwas Schlimmes passiert, weil ich es nicht genau sechsmal hintereinander gemacht habe.***

"Auch wenn ich immer gleich
an das Schlimmste denken muss,
akzeptiere ich mich so, wie ich bin"

"Meine Angst,
dass etwas Schlimmes passiert"

Zwangsbefürchtungen

Einstimmungssätze:

- ***Auch wenn ich Angst habe, dass etwas Schlimmes passieren wird, akzeptiere ich mich so, wie ich bin.***
- ***Auch wenn ich es nicht verdient haben sollte, diese Angst zu verlieren, akzeptiere ich mich so, wie ich bin.***

Erinnerungssätze:

- ***Meine Angst, dass etwas Schlimmes passiert.***
- ***Mein Gefühl, dass eine Katastrophe über uns hereinbrechen wird.***
- ***Diese Unruhe in mir.***
- ***Ich muss immer daran denken, was alles passieren könnte.***
- ***Diese schrecklichen Bilder, die immer in mir aufsteigen.***
- ***Meine Angst, dass ich eine ernste Krankheit habe.***

"Meine Angst,
die Kontrolle
zu verlieren
und da jetzt
hinunter zu
springen"

Zwangsimpulse

Einstimmungssätze:

- ***Auch wenn ich jetzt Angst habe, den Impuls zu bekommen, jemanden zu verletzen, akzeptiere ich mich so, wie ich bin.***
- ***Auch wenn ich panische Angst davor habe, die Kontrolle zu verlieren, akzeptiere ich mich so, wie ich bin.***

Erinnerungssätze:

- ***Diese Unruhe in mir.***
- ***Meine Angst, die Kontrolle zu verlieren.***
- ***Meine Angst, dass ein Impuls stärker sein könnte als ich und ich ihm nachgebe.***
- ***Meine Angst, jemanden zu verletzen.***

Hier sprechen Sie Ihren Impuls aus, um ihm durch das Klopfen die Kraft zu nehmen:

- ***Mein Impuls, mich jetzt den Abhang hinunter zu stürzen.***

Während des Klopfens wird Ihnen sofort die Absurdität der Angst bewusst. Und wenn die Angst weggeht, ist auch der Impuls selbst verschwunden.

Was genau fühle ich jetzt?

Wo in meinem Körper fühle ich es?

Wie kann ich es am besten beschreiben?

Hier einige Hinweise, damit Sie das Optimum aus der Methode herausholen:

- **Beschreiben Sie das Problem so genau wie möglich!** Je präziser der Erinnerungssatz, umso effektiver das Klopfen. “Mein Zwang“ ist evtl. zu ungenau. Besser wäre z.B. „Diese Unruhe in meinem Bauch, die mich dazu drängt, die Haustür zu kontrollieren“.

- **Beschreiben Sie auch Ihre Emotionen genau!** Ist es Nervosität, Unruhe, Angst, Ekel, Wut auf mich? Oder ist das schlechte Gewissen vorherrschend? Wo fühle ich die Emotion in meinem Körper?

- **Machen Sie es mit Gefühl!** Geben Sie so viel Gefühl in die Sätze wie möglich. Bilden Sie möglichst einfache Sätze. Lassen Sie Ihr Bauchgefühl sprechen, so als würden Sie Ihr Problem einem sehr engen Vertrauten erzählen. Überspitzen Sie ruhig die Sätze, um besser an das Gefühl dahinter zu kommen.

*Klopfe ich überhaupt noch das,
was ich zu Anfang gefühlt habe?*

*Oder hat sich da etwas verändert,
so dass ich meinen Erinnerungssatz
aktualisieren sollte?*

- **Beobachten Sie genau, was beim Klopfen passiert!** Manchmal ist es mit dem Klopfen wie beim Zwiebelschälen: Während Sie den Drang, die Wohnung zu putzen, klopfen, erscheint plötzlich die Angst, jemand könne sich anstecken. Dann klopfen Sie diese Angst und es erscheinen Schuldgefühle oder Gedanken wie „Ich bin nichts wert“. Nehmen Sie diese Veränderungen wahr und klopfen Sie neu auftretende Gedanken und Emotionen. So gelangen Sie zum Kernthema des Zwangs und haben eine gute Chance, ihn bei der Wurzel zu packen!

- **Immer im Hier und Jetzt arbeiten!** Wir können nicht die Beschwerden des gestrigen Tages klopfen oder Gefühle, die ich im Moment gar nicht habe. Wie sieht es in diesem Moment in mir aus?

- **Informieren Sie sich über EFT und MET!** Die hier vorgestellte Vorgehensweise hat sich bei der Behandlung von Zwängen bewährt – es gibt aber noch viele andere Klopf-Varianten. Vielleicht sagt Ihnen eine davon besonders gut zu!

Unser Verstand
ist ein Beweis
für den Humor
Gottes.

Aldinger

- **Alternative Einstimmungssätze.** Der richtige Einstimmungssatz kann über Erfolg oder Misserfolg des Klopfens entscheiden. Und wir wissen nie, was da so in unserem Unbewussten für Überzeugungen herumschwirren...

    - ***Auch wenn ich es nicht verdient haben sollte, diese Unruhe zu verlieren, akzeptiere ich mich so, wie ich bin.***

    - ***Auch wenn mein Zwang viel zu tief sitzt, als dass ich ihn überwinden kann, akzeptiere ich mich so, wie ich bin.***

    - ***Auch wenn ich meine Identität als Zwangspatient aufgeben muss und mir dann vielleicht etwas fehlen wird, akzeptiere ich mich so, wie ich bin.***

    - ***Auch wenn ich gar nicht mehr weiß, was ich mit der vielen Zeit anfangen soll, wenn ich meinen Zwang überwinde, akzeptiere ich mich so, wie ich bin.***

*Nur mit den Augen der anderen
kann man die eigenen Fehler
gut sehen.*

Chinesisches Sprichwort

- **Wasser trinken** Auch wenn sich das merkwürdig anhört, es lohnt sich, damit zu experimentieren, falls es einmal nicht weitergeht. Oft kommt nach einem Glas Wasser alles wieder ‚in Fluss'.

- **Unterstützung eines anderen Menschen suchen** Zu zweit oder in der Gruppe geht alles besser. Holen Sie sich Unterstützung von einem Freund oder einer Freundin, oder klopfen Sie gemeinsam in der Selbsthilfegruppe. Gehen Sie zu einem erfahrenen Therapeuten, der mit dieser Methode arbeitet oder erlernen Sie die Methode in einem Kurs.

- **Bleiben Sie dran!**Der wichtigste Tipp von allen! Manchmal braucht es ein wenig Zeit, bis sich Veränderungen bemerkbar machen. Wenn Sie Fragen haben oder nicht weiterkommen, wenden Sie sich an einen erfahrenen EFT- oder MET-Therapeuten.

Die Choices-Methode
nach Patricia Carrington, Ph. D.

Auch wenn ich diesen Zwang habe,
akzeptiere ich mich so wie ich bin.
Ich entscheide mich dafür,
darauf zu vertrauen,
dass ich stärker bin als der Zwang.

1. Runde: „Mein Zwang“
2. Runde: „Ich bin stärker als der Zwang“
3. Runde: Abwechselnd „Mein Zwang“ /
„Ich bin stärker als der Zwang“

Quelle: Carrington, P: EFT Choices Manual. Pace Educational Systems Inc.

Zum Schluss noch eine sehr effektive Variante der Standard-Prozedur: **Die Entscheidungsmethode**

Ändern Sie den Einstimmungssatz wie folgt ab: Auch wenn ich den Drang habe, die Haustür zu kontrollieren, akzeptiere ich mich so, wie ich bin. *Ich entscheide mich dafür, darauf zu vertrauen, dass ich stärker bin als der Zwang.*

Dann klopfen Sie eine Runde lang den ersten Teil:

- ***Mein Drang, die Haustür zu kontrollieren.***

Danach eine Runde lang den zweiten Teil:

- ***Ich bin stärker als der Zwang.***

Und in der dritten Runde klopfen Sie abwechselnd:

- ***Augenbraue: Mein Drang, die Haustür zu kontrollieren.***
- ***Augenwinkel: Ich bin stärker als der Zwang.***
- ***Jochbein: Mein Drang, die Haustür zu kontrollieren usw.***

„Ob eine Sache gelingt,
erfährst du nicht,
wenn du darüber nachdenkst,
sondern wenn du es
ausprobierst."

Aldinger

Qigong - Das Selbst stärken

In der Ruhe
liegt die Kraft
Volksweisheit

Was ist Qigong?

Auch Qigong soll Ihnen dabei behilflich sein, zu innerer Ausgeglichenheit und Ruhe zurückzufinden, so dass es Ihnen leicht fällt, Zwangshandlungen zu unterlassen bzw. Zwangsgedanken als Fehlinformationen zu behandeln.

Im Qigong (übersetzt heißt dies „Arbeiten mit der Lebensenergie") erlernen Sie, Ihre Aufmerksamkeit, Ihre Konzentration und Ihre Willenskraft zu steuern, indem sie diese Fähigkeiten auf Ihren Körper richten.

Durch die Versenkung in den eigenen Körper werden Atmung, Körperhaltung und Körperwahrnehmung trainiert.

Qigong ist eine Form der Meditation. Es erfordert vom Übenden viel Geduld, die verschiedenen Aspekte der Übungen zu erlernen und durchzuführen. Auch Gelassenheit und Offenheit sind wichtige Voraussetzungen, um mithilfe des Qigong eine veränderte Wahrnehmung der eigenen Person herbeizuführen.

Wie kann mir Qigong helfen?

Wenn Sie tagtäglich mindestens eine halbe Stunde üben, werden Sie erstaunt feststellen, dass es ein Leben außerhalb der Unsicherheit und Anspannung, die die Zwangserkrankung Ihnen suggeriert, gibt.

Durch Qigong können Sie lernen, wie es sich anfühlt, entspannt und ausgeglichen zu sein.

Die Qigong-Übungen, die wir hier vorstellen, werden schon seit mehreren Jahrtausenden in dieser Form praktiziert – weil sie so unglaublich effektiv sind und es an ihnen nichts mehr zu verbessern gibt. Verlassen Sie sich auf die Erfahrung der chinesischen Meister und vertrauen Sie darauf, dass die Übungen auch bei Ihnen Wirkung zeigen werden.

‚Die Schüttelübung'

Das Schütteln ist eine Übung, bei der Sie versuchen, den ganzen Körper in Bewegung zu versetzen. Sie stehen im schulterbreiten Stand (Füße ungefähr so weit auseinander wie Ihre Schultern breit sind) und beginnen aus den Hüften heraus zu wippen.

Sie schütteln den Körper und spüren in einzelne Körperpartien hinein. Gleichzeitig stellen Sie sich vor, wie die Organe, Muskeln, Knochen, das Gehirn, jede einzelne Zelle, mit einer Eisschicht bedeckt ist. Das Eis wird von der Sonne geschmolzen, es wird zu Wasser und das Wasser zu Gas, welches allmählich verdampft und verfliegt.

Alles Beengende, Schädliche, Krankmachende (=Eis) wird weggeschüttelt. Spüren Sie, wie die Sonne jedes Ihrer Organe erreicht und wärmt, während Sie in dieses Organ hineinfühlen.

Sie werden beim Üben erfahren, dass Sie sich entspannen und loslassen können. Nach der Übung fühlen Sie sich leichter und unbeschwerter.

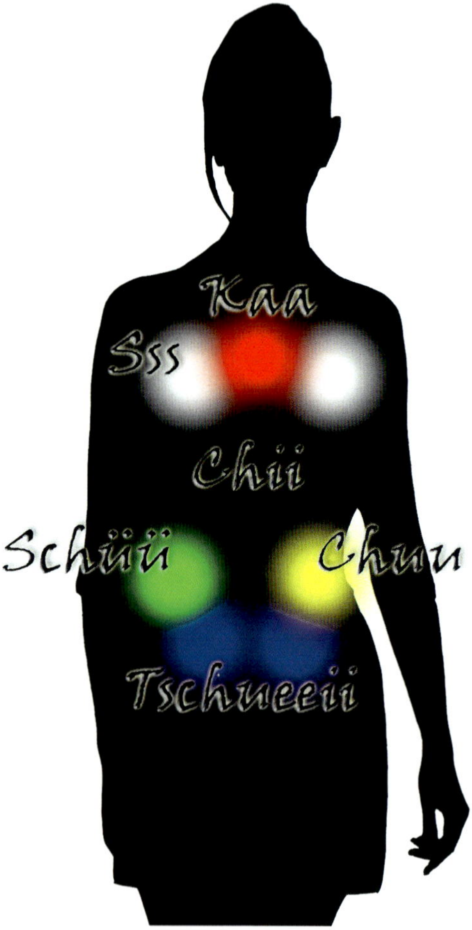
Kaa
Sss
Chii
Schüü
Chuu
Tschueeii

‚Die heilenden 6 Laute'

Die sechs Laute, die bei dieser Übung „gesungen“ werden (zuerst laut, dann immer leiser), sind mit bestimmten Organen in Ihrem Körper verbunden. Sie richten beim Ein- und Ausatmen Ihre Aufmerksamkeit und Konzentration auf jeweils eines der Organe.

Bei jedem Einatmen stellen Sie sich vor, dass diesem Organ frische Energie zuströmt. In Ihrer Vorstellung beginnt es in seiner Farbe kräftig zu leuchten.

Beim Ausatmen sagen Sie den Laut, der zum jeweiligen Organ gehört und geben alles Verbrauchte, Depressive, Belastende, Angstmachende, was an diesem Organ „klebte“, von sich. Sie „pusten“ alles Schwere und Krankmachende aus sich heraus.

Wer versucht, der findet.
Aldinger

Die Organe sind mit den folgenden Farben und Lauten verbunden:

Leber	**grün**	**schüü**
Herz	**rot**	**kaa**
Milz	**gelb**	**chuu**
Lunge	**weiß**	**sss**
Nieren	**blau**	**tschueeii**
Oberkörper	**keine Farbe**	**schii**

Jeder der Laute wird sechsmal „gesungen“. Fühlen Sie in das jeweilige Organ hinein und spüren Sie, wie Sie bei jedem Atemzug frische Energie in sich aufnehmen und verbrauchte Energie herauslassen. Stellen Sie sich vor, wie Ihre Organe leuchten.

Die Vergangenheit bedrückt mich.
Die Zukunft macht mir Angst.
In der Zwischenzeit geht es mir gut.
Aldinger

Mit der DVD üben

Zu diesem Buch ist eine Doppel-DVD erhältlich, die zum einen den Text dieses Buches in gesprochener Form und zum anderen sämtliche Übungen zum Mitmachen enthält. Nehmen Sie sich Zeit, legen Sie die DVD ein und machen Sie einfach mit – jeden Tag einmal.

Zuerst stärken Sie Ihren Organismus mit Hilfe der Qigong-Übungen und danach vertreiben Sie Ihren Zwang mit der Klopfakupressur.

Beide Techniken arbeiten im ‚Wohlfühlbereich', Sie brauchen sich also nicht zu überanstrengen oder zu überfordern. Gerade die Klopfakupressur funktioniert am besten in kleinen Schritten.

Über Fragen oder Erfahrungsberichte würden wir uns sehr freuen, Sie erreichen uns unter

a.seebeck@febe.de

Ihre Gabriele Raubart
Ihr Andreas Seebeck

Vechta, im Februar 2009

ANHANG

Die Autoren

Andreas Seebeck
Psychotherapeutischer Heilpraktiker, MET-Therapeut

Jahrgang 1966, übt seit 1992 fernöstliche Künste wie Taijiquan und Qigong. Seit 2001 intensive Ausbildung zum Qigong-Lehrer bei Joachim Stuhlmacher, Li Zhi-Chang und Xu Mingtang. Erfahrungen und Ausbildung in Klopfakupressur (EFT und MET) seit 2004. Praktiziert in Lohne.

Gabriele Raubart
Kaufmännische Angestellte.

Jahrgang 1967, ehemals von Zwängen Betroffene, leitet seit 2004 eine Selbsthilfegruppe für Zwangskranke in Vechta, betreut die „Gedanken-welten“, Kreativseite für Zwangserkrankte im Internet unter www.zwaenge.de, beschäftigt sich seit 2006 mit Qigong und Klopfakupressur.

Gary Craig ist der Entwickler von EFT.
Sie finden ihn im Internet unter
www.emofree.com

Eine deutsche EFT Seite:
www.eft-info.com

Die Seite von MET finden Sie hier:
www.met2.de

Mehr über Klopfakupressur

Benesch, H. (2006): Gesunde Kinder mit EFT – Mit Klopfakupressur emotionale und körperliche Probleme lösen. München, Kösel-Verlag.

Craig, G.: The EFT Manual. Das Handbuch zu EFT. Download in deutscher Sprache oder zu bestellen zum Selbstkostenpreis unter www.eft-info.com

Franke, R. und Schlieske, I. (2003): Klopfen Sie sich frei! MET - Ein Leben ohne Angst, Schuldgefühle, Süchte, Ärger, innere Wunden, Sorgen und Blockaden. Tutzing, Bio Ritter Verlag.

Hartmann, S. (2002): Emotionale Freiheit – Soforthilfe in Stress-Situationen mit Akupressur. Kirchzarten bei Freiburg, VAK Verlags GmbH.

Rother, G. und R. (2007): Klopf-Akupressur – Schnelle Selbsthilfe mit EFT. München, Gräfe und Unzer Verlag GmbH.

Mehr über Qigong

Fischer, K. und Schwarze, M. (2008): Qigong in Psychotherapie und Selbstmanagement. Stuttgart, Klett-Cotta.

Hammer, L. (2000): Psychologie und Chinesische Medizin – Zukunftsweisende Erkenntnisse über das energetische Zusammenspiel von Emotionen und Körperfunktionen. Oy-Mittelberg, Joy Verlag.

Höting, H. (1997): Die sechs heilenden Laute. Baunach, Deutscher Spurbuchverlag.

Li, Zhi-Chang (2002): Mit dem Herzen lächeln – 100 Wege, um 100 Jahre alt zu werden. München, HeyneVerlag.

Stuhlmacher, J. (1998): Das große Handbuch der chinesischen Naturheilkunde – Grundlagen, Diagnosen und Therapien sowie Kräuterkunde, Akupunktur, Ernährungslehre, Massage und Qigong. Aitrang, Windpferd Verlag.

Mehr über Zwänge

Anonyma (2012): Ich und mein Zwang – Kampferfahrungen stationär und ambulant. Himmel-Erde-Mensch-Verlag, Lohne.

S., Ulrike und Reinecker, H. (2006): ABC für Zwangserkrankte. Tipps einer ehemals Betroffenen. Vandenhoek & Ruprecht Verlag.

Fricke, S. und Hand, I. (2005): Zwangsstörungen verstehen und bewältigen – Hilfe zur Selbsthilfe. Balance Buch + Medien Verlag.

Hoffmann, N. (1999): Zwangshandlungen. Erkennen, verstehen und überwinden. Kreuz Verlag.

Hoffmann, N. (2004): Wenn Zwänge das Leben einengen: Zwangsgedanken und Zwangshandlungen. Ursachen, Behandlungsmethoden und Möglichkeiten der Selbsthilfe. Pal Verlag.

Baer, Lee (2003): Der Kobold im Kopf. Die Zähmung der Zwangsgedanken. Huber Verlag Bern.

Deutsche Gesellschaft Zwangserkrankungen (DGZ) e.V.
Postfach 70 23 34
22023 Hamburg
Tel.: (040) 689 13 700
E-Mail: zwang@t-online.de (mailto:zwang@t-online.de)
Internet: www.zwaenge.de

Online-Foren für Betroffene
www.zwaenge.de (betreut von A. Seebeck)
www.zwangserkrankungen.de
www.trichotillomanie.de

Mehr vom Autor Andreas Seebeck

Homrighausen, F. und Seebeck, A. (2012): Basiswissen Psychiatrie / Psychotherapie für Heilpraktiker kurzgefasst in Wort und Kullerköpfen - Ein Lernskript für den Überblick und als Lernhilfe. Lohne, Himmel-Erde-Mensch-Verlag.

Seebeck, A. (2004): Tinnitus lindern mit Qigong – Eine Übungsanleitung mit Musik. Angeleitete Qigong-Übungen auf CD. Lingen, Lotus-Press.

Seebeck, A. (2005): Die Tibet-Meditation für ein erfülltes Leben – Angst überwinden und Sinn finden. Trance-Meditation auf CD. Lingen, Lotus-Press.

Seebeck, A. (2009): Klopfakupressur - Ängste und Blockaden auflösen. Anleitung auf CD. Lingen, Lotus-Press

Stuhlmacher, J. und Seebeck, A. (2005): Den Tag erhellen – Das Gute-Laune-Qigong gegen depressive Stimmungen. Angeleitete Qigong-Übungen auf CD. Lingen, Lotus-Press.

Stuhlmacher, J. und Seebeck, A. (2007): Mensch ärgere dich nicht – Qigong-Übungen zur Stärkung der Wandlungsphase Holz und Reinigung der Organsysteme Leber / Galle. Angeleitete Qigong-Übungen auf CD. Lingen, Lotus-Press.

Stuhlmacher, J. und Seebeck, A. (2008): Den Rücken stärken – Übungen aus Fernost zur Vorsorge und Therapie von Wirbelsäulenbeschwerden. Angeleitete Qigong-Übungen auf CD. Lingen, Lotus-Press.

Stuhlmacher, J. und Seebeck, A. (2008): Kraft aus der Stille - Der Universumsstand Anleitungen zur Grundübungen des Qigong auf CD. Lingen, Lotus-Press.

Stuhlmacher, J. und Seebeck, A. (2009): Der kleine himmlische Kreislauf - Anleitung zur grundlegenden Übung der daoistischen "Inneren Alchemie" auf CD. Lingen, Lotus-Press.

Wölk, C. und Seebeck, A. (2002): Brainy, das Anti-Zwangs-Training – Ein computergestütztes Übungsprogramm zur Überwindung von Zwangshandlungen und Zwangsgedanken. Lengerich, Pabst Verlag.

Wölk, C. und Seebeck, A. (2007): Brainy, der Hausaufgaben-Coach – Techniken zum effektiven Hausaufgabenmachen. Lingen, Lotus-Press.

AUS DEM HAUSE LOTUS-PRESS

Alles liegt schwer im Magen,
ist schwer zu verdauen?
Nichts geht leicht von der Hand?

Übungen zur Wandlungsphase Erde

ISBN 3-935367-31-7 CD & Buch € 20.-

Für die Organsysteme
Magen und Milz

Bei **Übergewicht,** Verdauungsstörungen,
Adipositas, Diabetes, Cellulite,
Gedächtnis- und Antriebsschwäche,
Kraft- und Lustlosigkeit,
Dumpfheit.

Der kleine himmlische Kreislauf - Anleitung zur grundlegenden Übung der daoistischen "Inneren Alchemie"

ISBN 978-3935367-45-5 € 25.-

Der kleine Himmelskreislauf ist wohl eine der wichtigsten daoistischen Übungen. Qigonglehrer Joachim Stuhlmacher führt Sie, basierend auf 24 Jahren Qigong-Erfahrung, ein in diese grundlegende Praxis der Inneren Alchemie. Neben der klassischen Form werden auch Variationen und vorbereitende Übungen erläutert und angeleitet, ohne die ein sinnvolles Praktizieren kaum möglich ist.

Doppel-Audio-CD von Joachim Stuhlmacher und Andreas Seebeck

Übungen aus Fernost zur
Vorsorge und Therapie von
Wirbelsäulenbeschwerden

Den Rücken stärken

ISBN 978-3-935367-38-1 CD € 15.-

Dieses Übungsprogramm stärkt den Rücken und ist für Menschen mit oder ohne Qigong-Erfahrung geeignet. Die Übungen werden im Sitzen bzw. Liegen ausgeführt, können also auch bei starken Rücken-problemen durchgeführt werden. Durch regelmäßiges Üben erreichen Sie Schmerzlinderung, eine allgemein bessere Gesundheit und:
mehr Lebensfreude!

Wer nicht weiß, wohin er will, der soll sich
nicht wundern wenn er nicht ankommt.
Deutsches Sprichwort

ISBN 3-935367-342 € 15.-

Die Tibet-Meditation für ein erfüllteres Leben.
Kennen Sie das Gefühl, nicht ganz in der
(Lebens-) Spur zu sein?
Angst überwinden und Sinn finden -
eine Abenteuerreise.

Audio-CD mit Trance-Meditation
von Andreas Seebeck

Entlasten Sie Tag für Tag Ihr inneres "Stress-Konto", kommen Sie Schritt für Schritt Ihrem persönlichen Frieden näher.

ISBN 978-3935367-58-5 € 15.-

Klopfakupressur - Ängste und Blockaden auflösen

Akuter Stress, alte Verletzungen, seelische Belastungen, die sich im Laufe der Zeit angesammelt haben - all das bildet Blockaden in unserem Energiesystem, die sich schnell und effektiv mit der Klopfakupressur auflösen lassen.

Audio-CD von Andreas Seebeck